JEUNESSE

COLLECTION DIRIGÉE PAR
ANNE-MARIE AUBIN

Gilles Tibo

Illustrateur depuis plus de vingt ans, Gilles Tibo est reconnu pour ses superbes albums, dont ceux de la série Simon. Enthousiasmé par l'aventure de l'écriture, il a créé d'autres personnages. Il s'est laissé charmer par ces nouveaux héros qui prenaient vie, page après page. Pour notre plus grand bonheur, l'aventure de Noémie est devenue son premier roman.

Louise-Andrée Laliberté

Louise-André Laliberté pratique entre autres le métier d'illustratrice depuis quinze ans. Elle aime son travail parce qu'il n'est pas routinier et parce qu'aucune machine ne pourra jamais le faire. Elle avoue dessiner parfois en vrai kamikaze. Elle travaille vite et il lui arrive de réaliser le dessin final sans faire d'esquisse. La réalisation dont elle est la plus fière : ses deux garçons. Lorsque ses dessins amusent ou si les enfants ouvrent grand les yeux en les regardant, alors elle se dit : mission accomplie.

Série Noémie

Noémie a sept ans et trois quarts. Avec Madame Lumbago, sa vieille gardienne qui est aussi sa voisine et sa complice, elle apprend à grandir. Lors d'événements pleins de rebondissements et de mille péripéties, elle découvre la tendresse, la complicité, l'amitié, la persévérance et la mort aussi. Coup de cœur garanti !

Noémie
Le Secret
de Madame Lumbago

Données de catalogage avant publication (Canada)

Tibo, Gilles, 1951-

    Noémie, le secret de Madame Lumbago

    (Bilbo jeunesse ; 64)

    ISBN 2-89037-698-2

    I. Titre. II. Collection.

PS8589.I26N63 1996   JC843'.54   C96-940008-X
PS9589.I26N63 1996
PZ23.T52No 1996

Diffusion :
Éditions françaises, 1411, rue Ampère,
Boucherville (Québec), J4B 5Z5
(514) 641-0514 • région métropolitaine : (514) 871-0111
région extérieure : 1-800-361-9635 • télécopieur : (514) 641-4893

Dépôt légal : 1er trimestre 1996
Bibliothèque nationale du Québec
Bibliothèque nationale du Canada

Révision linguistique : Diane Martin
Montage : Yanik Préfontaine

      Les Éditions Québec/Amérique bénéficient du programme de
      subvention globale du Conseil des Arts du Canada.

Noémie
Le Secret
de Madame Lumbago

GILLES TIBO

ILLUSTRATIONS : LOUISE-ANDRÉE LALIBERTÉ

QUÉBEC/AMÉRIQUE JEUNESSE

1380 A, rue de Coulomb, Boucherville, Québec J4B 7J4, Tél : (514) 655-6084

À *paraître dans la série* Noémie

L'INCROYABLE JOURNÉE, coll. Bilbo,
Québec/Amérique Jeunesse.

LA CLÉ DE L'ÉNIGME, coll. Bilbo,
Québec/Amérique Jeunesse.

LES SEPT VÉRITÉS, coll. Bilbo,
Québec/Amérique Jeunesse.

Pour Marlène et Mariette sa «mamie»
qui ne ferait pas de mal à une mouche.

-1-

Ma meilleure amie

Moi, je m'appelle Noémie. Noémie... Quelque chose. Je ne dis jamais mon nom de famille parce qu'il est trop laid. C'est un nom composé de deux mots qui ne vont pas ensemble, comme Laplante-Laframboise ou, encore pire, Turpin-Laporte. J'ai sept ans et trois quarts. Je suis en deuxième année B. J'ai déjà perdu deux dents et j'en ai trois qui branlent!

Dans la vie je parle très très vite, mais ce n'est pas de ma faute. Ma tête est remplie de mots qui tournent et se bousculent quand vient le temps de faire des phrases. Je connais plein de mots savants et même de tout petits mots qu'il ne faut pas dire. En plus, je sais plein de choses que je ne devrais pas encore savoir... et qu'il ne faut pas répéter.

Ma mère dit que je suis beaucoup plus vieille que mon âge. C'est vrai, mais pas aussi vieille que ma meilleure amie... Elle s'appelle Madame Lumbago et elle demeure juste au-dessus de chez moi avec son chat, son canari et son mari, Monsieur Émile Lumbago.

Pourquoi Madame Lumbago est ma meilleure amie? Parce qu'elle me garde tous les soirs quand je reviens de l'école. Parce que nous révisons ensemble mes devoirs et mes leçons. Parce que nous regardons la télévision collées l'une contre l'autre.

En plus, nous partageons plusieurs secrets que je ne peux même pas dévoiler... sauf peut-être le plus important : il y a un trésor caché dans l'appartement de Monsieur et Madame Lumbago. Je l'ai appris un soir après le souper. Monsieur Lumbago, en se berçant, il a fait un mouvement de la tête qui voulait dire :

— Hé oui, il y a un trésor de caché quelque part...

Ce foutu trésor, il me trotte toujours dans la tête. Alors, j'ai posé mille questions :

— Qu'est-ce que c'est? Où l'avez-vous caché?

Je n'ai reçu aucune réponse satisfaisante. Monsieur et Madame Lumbago deviennent muets chaque fois que je parle du trésor.

Pour tenter de le trouver, je dis souvent :

— Bon, madame Lumbago, je crois qu'il faut faire le ménage, c'est un peu sale, ici!

— Encore? Nous avons frotté partout il y a deux jours à peine!

— Oui, mais à cause de la pollution, regardez, il y a encore de la poussière!

Pendant que nous passons la vadrouille et le balai, je peux regarder dans toutes les pièces de la maison, fouiner en dessous des lits, fouiller au fond des garde-robes et dans les tiroirs... Mais après avoir fait dix ménages, je ne vois toujours pas où peut se cacher ce foutu trésor.

Des fois je pense qu'ils se moquent de moi. Pourtant Madame Lumbago et moi, on s'est juré de toujours se dire la vérité :

— Croix de bois, croix de fer, si je mens je vais en enfer. Je le jure!!!

-2-

Ma famille

Finalement, je passe beaucoup de temps auprès de Madame Lumbago, parce que mes parents sont débordés qu'ils disent. Ils doivent travailler toute la journée et des fois toute la nuit pour acheter plein de choses.

Ils doivent aussi assister à des réunions et parler avec des gens qui fument. Je le sais parce que ma mère, quand elle rentre le soir, elle monte me chercher chez Madame Lumbago et moi, j'aime ça. Je fais semblant de dormir. Je me laisse porter dans ses bras. Elle me donne des

petits becs dans le cou et elle dit
toujours :

— Je t'aime, ma petite Noémie
d'amour...

Et elle sent la fumée de ciga-
rette c'est effrayant!

J'ai aussi un père que je ne
vois pas souvent. Lui, il est très
très débordé. Il paraît même

qu'il ne peut pas joindre les deux bouts. Les deux bouts de quoi? Je ne le sais pas.

Il répète toujours :

— Ce n'est pas facile d'être un père, aujourd'hui... Ce n'est pas facile d'être un père, aujourd'hui...

Il a raison! J'ai déjà écouté une émission de télé avec tout plein de papas qui se plaignaient d'être des pères. Un monsieur a dit que ce n'était pas facile d'être un homme tout court. Ça aussi c'est vrai, mon père me l'a déjà répété!

Finalement ma famille, c'est... Madame Lumbago. Comme je n'ai pas de grand-mère, je l'appelle grand-maman, et comme elle n'a jamais eu d'enfant, elle m'appelle souvent sa petite-fille ou son petit trésor et elle me chatouille, en riant deux fois plus que moi.

Elle ne me chicane jamais. Je peux tout faire, sauf courir dans le corridor. Il paraît que je cours comme un éléphant, le plancher en tremble et les cadres sur les murs font *cling... cling...* Je dois aussi faire très attention aux bibelots alignés sur de petites étagères. Alors je suis prudente, je marche normalement et c'est le bonheur.

Madame Lumbago et moi, on est très bien ensemble, surtout quand elle me donne du sucre à la crème.

Les photos

Monsieur et Madame Lumbago sont vieux, très vieux. Ils n'ont jamais avoué leur âge véritable, mais je sais qu'ils sont nés dans l'ancien temps. Il y a tellement longtemps qu'ils doivent regarder des photos pour se souvenir de leur jeunesse.

Chez eux, je peux voir de vieux portraits sur les murs et dans de gros albums qui sentent la poussière. Une petite malle est cachée sous leur lit. Elle ne contient pas de trésor. Je le sais, parce que j'ai déjà demandé à Madame Lumbago de voir à l'intérieur. Il n'y avait que des photos toutes brunes et jaunes. J'étais un peu déçue, mais je continue quand même mes recherches. Je fais semblant de m'intéresser aux photographies sur les murs, mais pour dire la vérité, je cherche ce foutu trésor.

Dans le salon il y a de beaux portraits de Monsieur Lumbago. Tout jeune, il travaillait à la guerre, la vraie. Sur une image, on le voit devant un gros bateau tourné sur le côté avec plein de trous dedans. C'est Monsieur Lumbago qui a fait les trous avec son fusil et ses amis.

On le voit aussi sur une autre photo devant des ruines. Des enfants courent tout partout et personne ne sourit. Je n'aime pas les images de guerre de Monsieur Lumbago. Lui non plus d'ailleurs, mais il dit que ça fait partie de son passé.

Je préfère regarder les photos de Madame Lumbago. Elle possède un album très vieux sur l'histoire de sa vie. On peut voir son père, sa mère, ses frères et sœurs. Ils sont tous très droits, raides comme des piquets.

Toute jeune, Madame Lumbago me ressemblait un peu, avec sa figure ronde et ses grands yeux rieurs. C'est drôle, sur ces vieilles photos jaunes et brunes, les craquelures du papier lui dessinent des rides dans la figure. Elle ressemble à une jeune fille très très vieille.

Madame Lumbago laisse sur la table, près de son lit, un gros pot rempli de pièces de monnaie et une petite boîte qui renferme ses photos préférées. C'est son trésor à elle. Quand elle ouvre cette boîte, on entend une musique très vieille et très triste.

Chaque fois, ça me serre le cœur. Je regarde Madame Lumbago du coin de l'œil, parce qu'elle me gêne lorsque ses yeux deviennent mouillés. Elle touche les photos très lentement en les caressant du bout des doigts. Ce sont de vieilles photos de jeunesse et d'ancien temps. On y voit ses amis de l'époque ainsi que des gens qu'elle ne reconnaît même plus.

Dans cette petite boîte à musique, il y a beaucoup de photos de Madame Lumbago et de son mari lorsqu'ils étaient jeunes et très amoureux l'un de l'autre.

Il y a aussi une image de Monsieur Lumbago photographié quelques jours avant de partir à la guerre avec ses amis.

Il est beau et beaucoup plus grand que les autres. Il sourit de toutes ses dents. Cette image, usée, presque effacée à certains endroits, a été beaucoup caressée par les doigts de Madame Lumbago. Des petites gouttelettes d'eau ont fait gondoler le papier.

Dans la boîte, il y a trois photos de moi et de Madame Lumbago, photographiées dans un centre commercial. Je suis toute petite sur ses genoux. Elle me serre dans ses bras en fermant les yeux. Moi, je ris. J'ai hâte qu'on invente des photos avec le son en stéréo pour qu'on puisse entendre les gens rire et parler sur les images... sauf sur les images de guerre.

▲ ▲ ▲

Lorsque je suis chez mes parents, je peux facilement savoir si Monsieur et Madame Lumbago se trouvent à la maison. Émile se berce presque toute la journée. J'entends le *cui-cui* de la berçante juste au-dessus de mon lit. Ça m'endort. Souvent je rêve à eux, jeunes comme sur les photos, et je les vois ensemble se tenant la main. C'est difficile à imaginer parce que Monsieur Lumbago ne bouge presque plus depuis la guerre. Il a été blessé tout partout. Il a mal au dos, aux jambes, au ventre. Quand il monte l'escalier, je ne sais pas si ce sont les marches ou ses genoux qui craquent.

Il est quand même très drôle, il a appris un truc extraordinaire à la guerre : il peut enlever toutes ses dents d'un seul coup et les remettre dans sa bouche !

Les devoirs
et les leçons

Après l'école, Madame Lumbago me garde, parce que mes parents sont débordés. Je monte en vitesse les marches de l'escalier, j'ouvre la porte en criant :

— Allô, c'est moi !

— Allô, ma petite Noémie d'amour ! Ta collation t'attend sur la table !

— Yhé !

J'embrasse Madame Lumbago et je mange ma collation.

Ensuite, j'ouvre mon sac d'école, je prépare mes cahiers et j'aiguise mes crayons. Madame Lumbago en profite pour me raconter sa journée :

— J'ai fait la vaisselle, du lavage, du tricot et du sucre à la crème...

Elle parle très vite et très fort en gesticulant beaucoup. Aussitôt que je commence mes devoirs, elle arrête de parler d'un coup sec. Je sais pourquoi et c'est un secret entre nous deux : Madame Lumbago ne sait presque pas lire ni écrire!

Il y a quelques mois, elle écrivait seulement son nom et quelques mots simples comme *papa, Léo, pipe* et je crois que c'est tout!

Alors, je joue à l'école avec elle. Je récite mes leçons à voix haute pour qu'elle apprenne en même temps que moi. J'épelle les mots et je lis très lentement des phrases dans mes cahiers. Ensuite nous comptons jusqu'à cent puis nous essayons de faire des additions. Madame Lumbago est une bonne élève en français, mais ce n'est pas un grand génie en mathématiques. Elle a beaucoup de difficulté avec les chiffres et avec tous les appareils qui ont des boutons comme les micro-ondes, les répondeurs et les systèmes vidéo.

Moi, je suis une championne avec les appareils électroniques, je suis obligée de lui enseigner tout ça!

Mais le plus important, c'est d'apprendre à lire et à écrire le plus vite possible.

— C'est bon pour nous deux, répète souvent Madame Lumbago.

Bientôt, on va pouvoir s'écrire des messages secrets comme dans les films. Moi, mon premier

message, ce sera une question :
***OÙ EST LE TRÉSOR CACHÉ
DANS LA MAISON?***

Lorsque je termine mes devoirs, je laisse toujours traîner mes cahiers sur la table de la cuisine et je fais autre chose pour laisser le temps à Madame Lumbago de réviser mes leçons. Elle est très orgueilleuse et ça la choque que j'apprenne plus vite qu'elle.

Alors je vais jouer avec le chat... Très intéressant un chat pour jouer à cache-cache! Je le cherche partout dans la maison et en même temps je fouille pour trouver la cachette du trésor. Mais j'ai beau jouer presque tous les soirs, je n'ai encore rien trouvé qui ressemble de près ou de loin à l'ombre d'un trésor.

-5-

L'univers

Avec Madame Lumbago, j'ai écouté à la télévision un reportage en direct sur l'espace intersidéral. On voyait des millions de planètes inhabitées, des galaxies géantes qui flottaient en silence au bout du monde, à des milliards d'années-lumière de la Terre. Et soudain j'ai eu le vertige. Je me suis sentie toute petite, comme un pou sur le dos d'un éléphant.

Je me suis blottie contre Madame Lumbago et elle m'a serrée très fort dans ses bras.

— Mon Dieu Seigneur, ma petite Noémie, il ne faut pas

avoir peur. On est tout petit dans l'univers, d'accord, mais en même temps on est très grand. Plus grand qu'un chat, une souris ou une puce!

J'ai regardé autour de moi. Madame Lumbago a raison! Je suis beaucoup plus grande que... que mes poupées. Alors je les ai consolées et ça m'a fait du bien!

Quand je serai vraiment grande, j'écouterai la télé très tard le soir avec Madame Lumbago et elle ne sera plus obligée de m'expliquer les choses. D'ailleurs, je m'aperçois de plus en plus que Madame Lumbago ne connaît pas tout.

L'autre soir il y avait une émission qui expliquait comment on fait des bébés et tout ce qui arrive... Madame Lumbago semblait gênée. Elle répétait toujours :

— Bon, veux-tu qu'on change de poste, Noémie?

— Non, non, c'est très intéressant!

— Y a peut-être une meilleure émission à un autre poste...

— Peut-être, mais moi, je veux savoir...

C'est un sujet qui m'intéressait parce que mes parents m'ont dit qu'ils essayaient de faire un bébé et que ça ne fonctionnait pas. Peut-être qu'ils sont trop débordés!

En tout cas, j'ai compris en écoutant la télé que Madame Lumbago ne connaissait pas grand-chose là-dedans sauf le début et la fin. C'est-à-dire qu'il faut commencer par faire l'amour et qu'il faut accoucher neuf mois plus tard. Entre les deux, elle ne savait pas vraiment ce qui se passait. Elle écoutait la télé en ouvrant de grands yeux et en répétant :

— Eh bien, mon Dieu Seigneur que la nature est bien faite malgré tout!

Moi, je ne voulais pas la contrarier pour ne pas la décourager. Je sais que la nature n'est pas toujours bien faite. Il y a des enfants qui naissent tout croches et sans bras, d'autres qui meurent avant de vivre et d'autres qui vivent toute leur vie comme des morts. Je le sais parce que j'ai déjà visité un hôpital avec ma garderie et en sortant, on était tous très contents d'avoir une bonne santé. Moi, mes cheveux frisent un peu trop à mon goût, mais finalement ce n'est pas très grave comme infirmité.

Des fois j'écoute la télé avec Madame Lumbago et avec son

mari qui se berce. Sa berçante fait *cui-cui* sur le plancher, le canari chante dans sa cage et le chat ronronne sur mes genoux. Ces fois-là, je suis tellement heureuse que j'oublie tout, même le trésor. Je ne sais même plus ce qui se passe à la télé. On pourrait l'éteindre et rester comme ça, tous ensemble, immobiles comme des galaxies, et flotter dans le salon jusqu'à la fin du monde.

-6-

Le plan

Aujourd'hui, à l'école pendant le cours d'arts plastiques, j'ai dessiné le plan de ma chambre, avec le lit, les meubles, les jouets et toutes les choses qu'on peut y trouver. Mon plan était très drôle et tout croche parce que je ne réussis jamais à tracer des lignes droites, même avec une règle.

Aussi j'ai eu l'idée de faire le plan de l'appartement de Madame Lumbago pour trouver la cachette du trésor. Un plan, ce n'est pas facile à exécuter. Alors le soir, j'ai demandé à Madame Lumbago de m'aider.

Sur une feuille quadrillée, nous avons dessiné une par une toutes les pièces de la maison, comme si on les voyait de haut, et je me suis aperçue d'une chose incroyable. Il y a une toute petite pièce fermée entre la cuisine et la salle de bain. Je ne m'en suis jamais rendu compte parce que la porte est camouflée derrière des cadres et des photos. Quand on regarde, on a l'impression de voir un grand mur tout le long du corridor.

J'ai essayé de faire semblant de rien, mais Madame Lumbago a tout de suite compris mon étonnement. Avant même que je la questionne, elle a répondu :

— C'est une ancienne garde-robe qu'on a condamnée pour y mettre le chauffe-eau lorsque la salle de bain a été agrandie.

J'ai tout de suite eu très envie

d'aller aux toilettes. J'ai barré la porte et oui, c'est vrai, il n'y a pas de chauffe-eau, ni dans cette pièce ni dans aucune autre.

D'après mon plan, la pièce secrète peut contenir au moins six chauffe-eau gros comme des barils. Alors que peut-il y avoir là-dedans? Que veut-on cacher dans une pièce fermée et dis-simulée derrière un mur rempli de photos, à part un trésor?

Je sais maintenant où se trouve le trésor, mais je ne sais pas à quoi il ressemble. Je dois me méfier de mon imagination qui part au galop. Peut-être que Monsieur Lumbago est l'arrière-petit-fils de vieux pirates qui lui ont légué un trésor en héritage, ou qu'il est revenu de la guerre avec un butin extraordinaire. Peut-être qu'il a été un grand voleur et qu'il a pillé des banques.

Tout se peut et même encore plus!

Et Madame Lumbago dans tout ça! Sa complice, ou une méchante sorcière? Peut-être, je ne sais pas, moi, quelqu'un qui n'a pas l'air de ce qu'elle montre, ou bien quelque chose d'autre que je ne peux imaginer parce que je suis trop petite.

Je ne comprends plus rien. Ça tourne dans ma tête. J'ai envie de défoncer cette foutue porte et de m'emparer de ce maudit trésor. Je n'arrête pas de penser à ça!

En plus, il faut que je fasse semblant de rien... Je souris à Madame Lumbago qui nourrit gentiment son canari. Et je dis comme ça, mine de rien :

— J'aimerais beaucoup savoir comment ça fonctionne un chauffe-eau, je ne me souviens pas d'avoir vu une émission de télé sur ce sujet.

— Il faudrait poser la question à un plombier, répond-elle, elle aussi mine de rien. Le chauffe-eau a été installé il y a plus de dix ans et je ne me rappelle plus très bien à quoi ça ressemble.

Et là, à ce moment précis, elle fait un geste extraordinaire. Elle ouvre le robinet d'eau chaude en disant :

— Tu sais, tant que ça fonctionne bien ces choses-là, il ne faut pas s'en préoccuper.

Ça me donne une idée. J'ai soudainement envie de prendre un bain parce que je suis un peu sale, je trouve! Madame Lumbago répond :

— Oh la bonne idée!

Elle remplit la baignoire à moitié pour économiser... l'eau chaude.

Je m'enferme dans la salle de bain. J'enlève le bouchon. J'ouvre le robinet d'eau chaude au maximum pour vider le chauffe-eau. Je veux qu'il se détraque et qu'on entre dans la chambre secrète pour le réparer. Là, je m'emparerai du foutu trésor, et je pourrai penser à autre chose! En attendant, je chante à tue-tête pour couvrir le bruit de l'eau qui coule.

Après une demi-heure, j'ai mal à la gorge, l'eau chaude coule toujours et Madame Lumbago cogne à la porte :

— Noémie, tu chantes bien, mais si tu restes dans l'eau plus longtemps, tu deviendras ratatinée comme un vieux raisin!

Je débarre la porte. Madame Lumbago dit :

— Oh là là! On se croirait au bord de la mer en plein brouillard!

Moi, j'ai du brouillard dans la tête. J'ai raté mon coup. Pendant qu'elle m'enroule dans une grande serviette et qu'elle me serre dans ses bras, je ne dis pas un mot. Je réfléchis. Il me faut trouver un moyen pour entrer secrètement dans la chambre du trésor.

-7-

À la bibliothèque

Aujourd'hui, samedi, Madame Lumbago me garde toute la journée. Je lui demande si elle aimerait m'accompagner à la bibliothèque pour rapporter les livres empruntés et en chercher de nouveaux.

Petit problème. Elle voulait rendre visite à une de ses amies qui demeure dans une maison de retraite. Une maison de retraite, c'est une grande maison où vivent tout plein de gens âgés qui jouent aux cartes et au bingo en écoutant des films sur un écran géant.

Alors nous établissons le

plan de la journée. Ce matin nous irons à la bibliothèque, ensuite nous mangerons au restaurant. Nous visiterons l'amie de Madame Lumbago après le dîner, et tout le monde sera content.

▲ ▲ ▲

Même si elle ne marche pas très vite, j'aime bien me promener en ville avec Madame Lumbago. Tout le monde la prend pour ma grand-mère. Je l'appelle grand-maman ou mamie pour lui faire plaisir.

Elle me tient la main et nous marchons sur le trottoir en regardant les vitrines. Ça m'énerve un peu de regarder les vitrines parce que je voudrais tout acheter et je n'ai pas d'argent dans mes poches.

Alors je rêve que j'aurai bientôt mon fabuleux trésor... Je me promène sur le trottoir en tirant mon gros coffre sur une brouette et j'entre dans n'importe lequel des magasins. J'achète tout ce que je veux. Pour des bonbons, je paye avec des pièces d'or. Pour une bicyclette, je donne des diamants. Des bracelets de perles pour faire l'épicerie. Des couronnes d'argent pour un petit cadeau à mes parents et tout le trésor au complet pour acheter une grosse surprise à Madame Lumbago!

Rendue à la bibliothèque, je ne perds pas une seconde. Je consulte le fichier et je me précipite vers le rayon des livres qui traitent des trésors. Il y a tellement de titres que je deviens tout étourdie. *Le Trésor des sept mers - Le Trésor de Barbe-Bleue -*

Sur la piste des trésors perdus - Les Plus Grands Trésors du monde. Il y a des dizaines et des dizaines de livres avec plein d'images toutes remplies d'or, de diamants et de pierres précieuses.

Je ne peux emprunter que cinq livres. Je choisis les quatre plus vieux, ceux qui sont recouverts de poussière et dont le papier a jauni avec le temps. J'en prends un cinquième, n'importe lequel, sur une autre étagère, juste pour fausser les pistes, comme si je ne m'intéressais pas vraiment aux trésors.

Pendant ce temps, Madame Lumbago essaie de lire un journal et me jette de temps à autre de petits coups d'œil complices.

Je fais estampiller ma fiche d'emprunt et on me donne un beau sac pour transporter mes livres. En sortant de la bibliothèque, j'ai le cœur qui bat très fort. Dans ces volumes remplis d'informations, je trouverai sûrement la clé de l'énigme du trésor caché dans la chambre secrète.

-8-

Au restaurant

Nous marchons à la recherche d'un restaurant. Nous choisissons celui qui a beaucoup d'images de nourriture sur les murs, un vieux truc de Madame Lumbago. Comme elle ne sait presque pas lire, elle regarde les images et finalement elle choisit toujours la même chose : un spaghetti, un *club sandwich* ou un hamburger.

Je lui demande de commander pour moi. Je ne peux plus attendre. J'ouvre en vitesse mon sac et je commence à explorer mes livres. Je regarde les photos et les dessins et, malgré moi, je me retrouve au pays des pirates.

Je navigue déjà sur un vaisseau amiral poursuivi par une bande de flibustiers. Au premier coup de canon... BANG!!! La serveuse vient prendre notre commande. Deux spaghettis boulettes de viande et deux crèmes glacées à la pistache. La poursuite continue, la mer se déchaîne. Nous perdons de la vitesse. Attention!!! À l'abordage!!! Bang!!! L'assiette de spaghettis dérive sur la table. Les nouilles sont chaudes. Leur vapeur se mêle à la poudre des canons qui crachent le feu. La grand-voile flambe en crépitant. J'ai mis beaucoup trop de piment dans ma sauce. Je bois une grande gorgée d'eau. Une immense vague s'abat sur les navires qui craquent.

Les méchants pirates et les

bons marins se battent et s'entre-lacent comme des nouilles. Avec ma fourchette, je les coupe en petits morceaux et je les avale.

À la fin de la bataille, quelques marins gémissent dans leur sauce sur le pont du navire et Madame Lumbago me félicite d'avoir si bien mangé. Je suis tout étourdie.

J'ouvre un autre livre et ça repart! Des flottes entières de bateaux flambent. Sur une île, des pirates creusent un trou pour cacher leur coffre à trésor. Bang!!! La crème glacée arrive sur la table. Avec ma cuillère, je commence à pelleter pour faire un grand trou. Les pirates sont dedans, à mesure que la crème glacée fond, le niveau d'eau monte comme dans un puits. Ils cachent leur trésor sous une grosse roche qui ressemble à une pistache.

J'ai mangé trop vite ma crème glacée. J'ai froid dans la tête. Madame Lumbago me dit que mes livres ont l'air passionnants. Je lui prête celui qui n'a pas de rapport avec les pirates et elle s'exclame :

— Ha! Je trouve incroyable qu'une petite fille de ton âge s'intéresse à la plomberie!

À la fin de la bataille, la serveuse nous apporte la facture. Comme une vraie pirate, Madame Lumbago ouvre sa sacoche et en sort un gros sac rempli de monnaie. Ensuite elle fait des petits paquets avec les pièces en comptant dans sa tête. Je le sais parce que je vois ses lèvres bouger.

La serveuse sourit en re-comptant toutes les pièces. Il y a deux dollars de trop. Madame Lumbago, pas très forte en chiffres, dit à la serveuse :

— Gardez la monnaie pour le pourboire !

Nous quittons le restaurant et nous naviguons sur le trottoir entre les récifs et les piétons. Nous descendons dans la cale du métro comme au fond d'un sous-marin.

Nous émergeons à mille lieues de notre port d'attache. Nous marchons sur des plages sablonneuses jusqu'à un immense bâtiment sans mâts et sans voiles. Madame Lumbago dit :

— Nous y voilà !

-9-

La maison
de retraite

La maison de retraite ressemble beaucoup à mon école sauf que c'est silencieux et, à la place des enfants, il y a beaucoup de vieilles personnes très courbées par en avant.

Nous marchons dans un long corridor. Le plancher est propre comme un miroir, on peut se voir dedans mais à l'envers.

Par les portes entrouvertes, je jette un coup d'œil dans les chambres. Elles ressemblent à la mienne, il y a des affiches sur les murs, des poupées sur les armoires et même de gros toutous sur les lits.

Finalement nous arrivons à la chambre de Mademoiselle Luce Lalonde. Je le sais parce que son nom est écrit sur la porte et je peux le lire. Madame Lumbago cogne trois petits coups et après un long silence, la porte s'ouvre.

Luce Lalonde apparaît en riant. C'est une très très vieille mademoiselle!

À très petits pas, comme au ralenti, elle embrasse Madame Lumbago. Leurs lunettes font *cling-cling* puis elle se penche vers moi en disant avec sa petite voix de vieille demoiselle :

— Ho là là! La belle grande fille! Aimerais-tu manger un peu de sucre à la crème?

Je mange en vitesse mon sucre à la crème, bien meilleur que celui de Madame Lumbago, mais je ne le dis pas... Pendant

que les deux amies papotent, moi, je fais ma bonne grande fille. Je m'installe sur le lit entre deux oursons.

Je replonge dans mes livres et je me retrouve perdue dans les caves au fond d'un vieux château. Partout des murs rapetissent, des portes secrètes tournent sur elles-mêmes et de l'or brille dans le noir.

Soudain, Luce Lalonde se met à rire. Elle se transforme en sorcière et me poursuit sur son balai magique. Je l'entends ricaner :

— Tu sais, de toute façon on n'en sortira pas vivantes !

Moi, je cours de toutes mes forces. Mon cœur va exploser ! Je suis coincée au fond d'un tunnel.

— HA ! HA ! HA !... C'est la vie, ma petite !

Avec mes ongles je gratte le mur de pierre. Je cherche une issue. Le sol disparaît. Je ne peux m'agripper à rien. Je tombe. Une longue chute qui n'en finit pas. Je crie! Aucun son ne sort de ma bouche. Je tombe toujours dans le noir. La sorcière tourne et virevolte en riant autour de moi. Toute en sueur, je prends une grande respiration et je crie :

— AU SECOURS!

Madame Lumbago et Luce Lalonde sursautent sur leurs chaises. Elles me regardent et se mettent à rire... Je suis tout étourdie, des larmes me montent aux yeux. Je ne sais même pas si je ris ou si je pleure. Madame Lumbago me serre dans ses bras et je dis :

— Je suis fatiguée, je veux retourner à la maison.

▲ ▲ ▲

Sur le trottoir devant la maison, je demande à Madame Lumbago si je peux regarder mes livres toute seule chez moi. J'ai la clé de la porte accrochée au cou. Elle hésite un peu, comme une vraie grand-mère, puis elle me donne les recommandations que je connais par cœur :

— Tu barres bien la porte, tu ne réponds pas au téléphone, s'il y a un problème, tu montes! Je te prépare une surprise pour le souper.

J'aime bien les surprises de Madame Lumbago : du steak, des patates, des petits pois. En attendant, j'entre chez moi et je ferme la porte. Il n'y a pas un bruit dans la maison. Je fais le tour de toutes les pièces. Je regarde dans les garde-robes et sous les lits. Il n'y a pas de pirates, pas de sorcières ni rien qui peut m'effrayer. J'enlève mes souliers et mes bas. Je me glisse dans mon lit et j'ouvre mes livres.

Le voyage continue. Je dérive en pleine mer sur mon lit qui tangue. Le plafond craque, j'entends le *cui-cui* de Monsieur Lumbago qui commence à se bercer en haut.

-10-

L'ambulance

Bercée par le *cui-cui* de la berçante, je ferme les yeux. À moitié endormie, à demi réveillée, je navigue entre deux eaux. *Cui-cui*. Je flotte doucement dans mon lit et je ne pense même plus à ce foutu trésor. *Cui-cui*. Je rêve à n'importe quoi. Tout à l'heure, j'irai souper chez Madame Lumbago, et ensuite nous regarderons la télévision. *Cui-cui*. Et je m'endormirai, *cui-cui*. Puis, ma mère ou mon père viendra me chercher en me donnant des petits becs dans le cou. *Cui-cui*.

Et soudain le silence!

En haut, la berçante s'est ar-
rêtée d'un coup sec. J'entends
BANG au plafond puis les pas
rapides de Madame Lumbago.
Elle crie quelque chose que je ne
comprends pas! Je saute de mon
lit et je cours dehors nu-pieds. Je
monte en vitesse l'escalier. Je me
précipite chez elle. J'aperçois
Monsieur Lumbago recroquevillé
sur le plancher du salon et
Madame Lumbago au téléphone
qui donne son adresse et qui
demande de se dépêcher. Je ne
la reconnais pas, toute rouge,
elle tremble. Monsieur Lumbago
est tout blanc. Il ne bouge pas.

Puis tout se passe en accéléré
comme dans un vidéo qu'on fait
avancer trop vite. J'entends au
loin la sirène d'une ambulance
qui s'approche et s'arrête juste
devant la maison. Des infirmiers
montent l'escalier avec une

civière et se lancent sur Monsieur Lumbago.

On lui met un masque pour qu'il respire. Un infirmier dit :

— On l'emmène à l'hôpital. Avez-vous ses cartes?

Madame Lumbago se précipite dans la chambre et en ressort en refermant son portefeuille.

Monsieur Lumbago est déjà attaché sur la civière et on commence à le descendre. Madame Lumbago me tire par la main. Elle regarde le ciel, tout énervée. En bas, il y a plein de curieux. Je reconnais Sylvain Tremblay, Danielle Caron-Vaillancourt et d'autres que je n'ai pas le temps de nommer.

Je me retrouve à côté de Madame Lumbago en face de son mari dans l'ambulance qui fonce et qui passe sur les feux rouges. Les rues défilent de chaque côté. La sirène hurle. Madame Lumbago tient la main de son mari en murmurant :

— Mon Dieu Seigneur, mon Dieu...

Moi, je ne sais pas quoi faire. Je suis tout étourdie.

-11-

L'hôpital

Tout à coup, l'ambulance freine en tournant. La sirène se tait. Les portes s'ouvrent. Nous sommes arrivés à l'hôpital. Des infirmiers se précipitent sur Monsieur Lumbago. On le transporte dans une première pièce. Il y a des gens assis partout, d'autres couchés sur des lits.

Je m'agrippe à Madame Lumbago. Je sens son cœur battre jusque dans ses mains. Elle donne des cartes, signe des papiers. On transporte Monsieur Lumbago à toute vitesse. Nous prenons l'ascenseur puis nous marchons encore et encore.

Madame Lumbago s'enferme dans une pièce avec deux infirmiers. Moi, j'attends sur une petite chaise en bois dans un immense corridor et c'est tout à coup le silence coupé par une voix très calme qui sort des murs :

— Docteur Filion, docteur Filion demandé d'urgence à la salle d'opération. Docteur Filion demandé d'urgence à la salle d'op.

J'attends toujours. Des infirmiers passent en me souriant. Des femmes docteurs passent en me souriant. Les malades étendus sur les civières me regardent en souriant.

Moi, je ne suis pas capable de sourire. J'ai envie de leur crier :

— Mais vous ne comprenez rien, il y a quelques minutes, dans mon lit, je regardais un livre sur les pirates et me voilà à l'hôpital à attendre Madame Lumbago! Son mari est tombé sur le plancher du salon parce qu'il est très malade depuis la guerre. Alors comment voulez-vous que je fasse des sourires? En plus, nous sommes parties tellement vite que je n'ai même pas eu le temps de mettre mes souliers. J'ai froid aux pieds et personne ne s'occupe de moi! Est-ce que je vais rester plantée ici jusqu'à la fin du monde ou quoi!!!

Tout à coup, Madame Lumbago sort par une autre porte, suivie d'une madame tout habillée en blanc avec quelques petites taches rouges sur son tablier. Je suis trop loin, je ne comprends pas ce qu'elles disent. La dame lui met la main sur l'épaule et Madame Lumbago fait signe que *oui* avec la tête. Puis elle regarde de l'autre côté du corridor et ensuite de mon côté. Alors elle vient vers moi, lentement, à petits pas.

Je ne suis pas capable de bouger. Je la regarde trottiner, courbée par en avant, les deux mains serrées sur son ventre. Je me dis qu'aujourd'hui nous sommes pareilles. Nous avons l'air plus vieilles que notre âge.

Je vois ses yeux rouges, pleins d'eau... Comme si elle ne me voyait pas, elle passe devant moi, se retourne lentement et se laisse tomber sur une chaise.

Après quelques minutes, Madame Lumbago me prend la main ; sans même me regarder, comme parlant au mur en face, elle murmure :

— Mon Émile s'en est allé, mon Émile m'a quittée pour de vrai. Il est mort une première fois

il y a bien longtemps. À la guerre, on a tué son beau sourire, à la guerre on a tué tout ce qu'il était... Je l'ai aimé et soigné toute ma vie en me disant qu'il pouvait repartir n'importe quand, qu'il ne pouvait pas survivre bien longtemps. Et c'est aujourd'hui, aujourd'hui qu'il disparaît, après tant d'années!

Moi, je n'ai pas compris tout ce qu'elle vient de dire à part qu'il est mort deux fois, mais je ne pose pas de questions. Je reste figée sur ma chaise, la main dans la sienne.

Nous restons là, immobiles, silencieuses, comme si le temps s'était arrêté au-dessus de l'hôpital et je me répète que Monsieur Lumbago est mort, qu'il est mort mort mort, et on dirait que je ne sais pas ce que ça signifie.

-12-

Adieu

Soudain, de la musique sort des murs et une voix annonce l'heure de la fin des visites. Madame Lumbago se lève sans un mot et me fait signe d'attendre. Elle trottine encore dans le corridor, ouvre une porte et réapparaît quelques minutes plus tard en disant :

— Je voulais lui dire au revoir une dernière fois.

Moi, je la regarde. Je ne sais pas comment réagir... et là, il se passe quelque chose d'incroyable. Malgré moi, ma bouche s'ouvre et je m'entends dire :

— Moi aussi j'aimerais le voir

une dernière fois.

Madame Lumbago me regarde avec tristesse puis elle me prend la main.

Ensemble, nous entrons dans une grande pièce tranquille et silencieuse. Il y a quatre tables au milieu. Sur une des tables, quelqu'un est couché sur le dos, recouvert d'un drap blanc comme un fantôme. Madame Lumbago découvre lentement le visage de son mari. Je le reconnais et en même temps ce n'est plus lui. Il dort paisiblement, mais sans respirer. Il n'y a plus de vie dedans. Je dis :

— Bonsoir, monsieur Lumbago!

Mon bras se lève et ma main touche sa joue. Il est un peu froid et je pense à n'importe quoi d'autre pour ne pas pleurer. Je pense à mes amis et à ce foutu trésor qui ne m'intéresse même plus. Ma main reste collée sur sa joue. On dirait qu'il est vide en dedans.

Madame Lumbago lui caresse les cheveux et le front. Sa main passe tout à coup sur la mienne. Elle est chaude et elle tremble un peu. Puis Madame Lumbago se penche pour embrasser son mari et une larme tombe sur la joue de Monsieur Lumbago. On croirait que c'est lui qui pleure. En le recouvrant avec le drap blanc, elle chuchote :

— Au revoir, mon vieil amour, n'oublie pas de me garder une place en haut.

Nous sortons de la pièce sans nous retourner et nous traversons encore de longs corridors qui sont froids pour les pieds. À l'extérieur de l'hôpital, il fait noir, c'est la nuit. Je suis toute mêlée. Je me sens comme une somnambule.

-13-

Le taxi

Madame Lumbago décide de rentrer à la maison en taxi. C'est la première fois que je monte dans un taxi. Je m'assois sur le siège avant et je donne l'adresse.

Le conducteur tourne la poignée d'un gros cadran et nous voilà partis. Nous quittons le stationnement de l'hôpital pour déboucher dans une grande rue pleine de couleurs. Partout des lumières clignotent et annoncent des choses que je n'ai pas le temps de lire. Le taxi file à toute vitesse. J'ai l'impression de voler dans une fusée et de voir des étoiles et des galaxies défiler de chaque côté.

J'essaie d'oublier Monsieur Lumbago, mais je n'y arrive pas. Son image reste collée dans ma tête. Nous zigzaguons entre les autos, les camions et les autobus. Les chiffres du gros cadran continuent à monter. Nous roulons encore quelques minutes dans de petites rues sombres que je ne connais pas. Puis, j'aperçois l'école, le dépanneur, et le taxi s'arrête juste devant la maison.

Madame Lumbago ouvre son sac à main. Pour payer, elle sort le gros sac rempli de pièces de monnaie. Elle fait des petits paquets d'argent qu'elle donne au chauffeur. Nous demeurons à exactement seize dollars et quarante sous de l'hôpital.

-14-

Les jours
qui suivent

Les jours qui suivent, je n'ai absolument pas le temps de m'occuper de mon problème de trésor. Je pense beaucoup à Monsieur Lumbago. À l'école, il paraît que je suis souvent dans la lune. Je ne dis rien à personne. Je ne réponds à aucune question du genre :

— Comment c'était en ambulance ?

Ou bien :

— Qu'avez vous fait à l'hôpital ?

Je ne réponds pas, c'est notre secret à moi et à Madame Lumbago.

Je fais une visite au salon

funéraire avec mes parents pour voir si Monsieur Lumbago se ressemble. Je le reconnais à peine, on dirait que ce n'est plus lui. Il est plus froid qu'à l'hôpital. Il y a beaucoup de monde autour de lui et Madame Lumbago est assise dans un coin. Elle parle à voix basse à des gens que je ne connais pas, sauf Mademoiselle Luce Lalonde. Tout habillée en noir, elle ressemble vraiment à une sorcière.

Je n'assiste pas à l'enterrement parce que, selon mon père, ma mère et Madame Lumbago, ce n'est pas un endroit pour une petite fille.

Des enterrements, j'en ai vu des dizaines à la télévision et je sais exactement tout ce qui se passe, alors ne venez pas m'achaler avec ça! On fait des prières les mains jointes, puis

on descend le cercueil dans une fosse, puis on jette quelques poignées de terre dessus. Je ne sais pas pourquoi, c'est comme ça. Puis tout le monde pleure parce que la musique est triste. Chacun s'en retourne dans sa maison et là, il y a toujours quelqu'un qui dit :

— Hé oui mon vieux, la vie continue !

Alors on regarde un autre poste ou on met une cassette dans le vidéo pour se changer les idées et c'est vraiment vrai, la vie continue.

-15-

Libre comme une jeune fille

Depuis le départ de Monsieur Lumbago, la vie continue. Nous ne l'oublions pas et nous pensons souvent à lui. Nous le voyons tous les jours sur les photos accrochées aux murs. Madame Lumbago n'en parle pas, mais je sais qu'elle y pense souvent. Je l'ai même surprise plusieurs fois, agenouillée devant un petit Jésus en plâtre.

Elle fait des prières, et, des fois, moi aussi je prie pour tout le monde que j'aime. Mais c'est difficile, parce que je n'arrête pas de penser à autre chose et en plus, ça donne mal aux genoux.

Madame Lumbago a maintenant beaucoup plus de temps libre... alors j'en profite pour l'occuper et pour lui montrer des jeux.

Elle dit qu'elle redevient comme une jeune fille. Elle sourit de plus en plus souvent et j'aime ça quand elle est heureuse. Alors je ne veux pas la contredire. Je ne lui dis pas que c'est difficile d'être une vraie jeune fille. Ça fait tellement longtemps qu'elle ne doit plus s'en souvenir! Elle ne se rappelle pas qu'il faut endurer les mémèrages de tout le monde dans la cour d'école, qu'il faut s'ennuyer de ses parents débordés, qu'il faut manger ses croûtes de pain, qu'il ne faut pas passer ses fins de semaine devant la télévision ni acheter tout ce qu'ils annoncent et je pourrais continuer comme ça jusqu'à la fin du monde.

À part ça, Madame Lumbago et moi, nous sommes devenues très studieuses. Nous étudions tous les soirs avec mes cahiers d'école. Comme j'apprends beaucoup plus vite qu'elle, je suis devenue son professeur officiel.

Nous savons maintenant presque lire et écrire parfaitement et nous laissons dans la maison plein de petits papiers avec des messages écrits dessus. Même que certains soirs, nous ne nous parlons presque pas. Nous nous écrivons tout ce que nous voulons nous dire :

— *Merci, madame Lumbago, pour le bon souper.*

— *Veux-tu encore du dessert?*

— *Non merci, je n'ai plus*

faim, et vous?

— *Je suis bourrée, bourrée. Je vais faire la vaisselle pour digérer!*

— *O.K., moi, je balaye le plancher.*

Nous appelons ça le jeu des conversations muettes. La première de nous deux qui parle perd un point. Moi, je gagne toujours, parce que Madame Lumbago dit qu'elle a tellement besoin de parler qu'elle ne peut pas s'en empêcher et c'est drôle.

-16-

La chasse
au trésor

J'ai inventé un jeu qui se nomme «La chasse au trésor». Il s'agit de trouver l'emplacement d'un trésor caché quelque part sur une carte, dans un livre ou... dans un appartement. À ce petit jeu, Madame Lumbago est un vrai génie. Elle réussit toujours à déjouer mes plans ou à m'indiquer de fausses pistes pour que je ne trouve pas ce foutu trésor.

Je sais qu'elle fait semblant de rien. Lorsque je lui pose des questions très précises, elle ne donne jamais de réponses claires. C'est toujours nébuleux, du genre :

— Oui oui, il y a un trésor dans la maison... mais je ne suis pas sûre.

Ou bien :

— Oui oui, mais il y a si longtemps que je ne m'en souviens plus.

Ou la pire des réponses, celle qui me fait dresser les cheveux sur la tête :

— Veux-tu bien me dire ce qu'une petite fille comme toi ferait avec un trésor pareil!

Elle répond ça! C'est de la torture ou de la cruauté mentale, comme on dit! Alors moi, je ne pense qu'à ça, je ne veux jouer qu'à ça. Je veux l'avoir dans les mains ce foutu trésor, pas dans la tête. Je vire folle ou quoi?

Il y a des moments où je n'en peux plus. Des moments où je prendrais une grosse masse en fer et avec tout mon élan je défoncerais le mur de plâtre. Je rentrerais dans la chambre du trésor avec une lampe de poche. Je passerais au travers des fils d'araignées. Je sortirais les coffres remplis d'or et de perles en criant à tue-tête :

— YAHOU! Je le possède enfin cet incroyable trésor!!!

Je deviendrais la fille la plus riche du monde! On me verrait à la télévision et dans les journaux. J'obtiendrais tout ce que je veux et puis et puis... Je ne sais pas ce que je ferais après tout ça, mais je trouverais bien quelque chose à acheter!

-17-

Au parc

On dirait vraiment que Madame Lumbago rajeunit. Elle fait de la gymnastique douce devant la télévision, et le plus drôle c'est que nous allons souvent au parc. Ça, c'est nouveau!

Je lui ai montré à se balancer. Elle a de la difficulté à prendre son élan. Alors je lui donne les premières poussées et on n'est même pas gênées, au contraire!

Je l'ai convaincue de monter sur la grande glissade. Au début, elle a dit :

— Oh! non, pas moi!

Mais après quelques hésitations,

elle a gravi les marches de l'échelle très lentement. Arrivée en haut, elle est restée au moins dix minutes les mains crispées sur les bords de la glissoire parce qu'elle avait peur. Tous les enfants du parc criaient :

— Allez, vas-y, grand-mère! C'est facile, laisse-toi aller! Ça va glisser tout seul!

J'avoue que j'ai eu très peur. J'ai cru qu'elle ne redescendrait jamais ni d'un côté ni de l'autre et qu'il faudrait appeler les pompiers pour la sortir de là... Finalement nous avons tous crié :

— Un... deux... trois... *go!* Un... deux... trois... *go...* Lumbago!

Le visage crispé, elle a commencé à glisser. Au milieu de la glissoire, son visage s'est détendu, et rendue en bas elle a crié YAHOU!!! Elle a même

recommencé trois fois parce que tout le monde l'encourageait et elle était très fière.

Madame Lumbago est devenue tellement en forme et de bonne humeur qu'elle m'a dit :

— À partir de demain, je fais un grand ménage dans l'appartement et je voudrais que tu m'aides.

J'ai compris ce que ça voulait dire.

-18-

Le grand ménage

Pour faire le grand ménage, je me suis bien préparée. J'ai redessiné un plan de l'appartement de Madame Lumbago, un plan encore plus précis que le premier. Et là, ce sera le moment de vérité, comme ils disent dans les films. Je ne laisserai pas l'ombre d'un doute planer! Je fouillerai dans tous les coins et recoins pour être certaine que le trésor n'est pas caché ailleurs que dans la chambre secrète. Je jure de trouver ce foutu trésor ou bien je ne m'appelle plus Noémie... Quelque chose!

Mon cœur bat très fort, mais je fais semblant de rien. Nous commençons le ménage par le salon. Nous frottons les meubles, je regarde dans tous les tiroirs.

Nous époussetons les divans, je vérifie les doublures, devant comme derrière. Nous mettons de l'ordre dans la bibliothèque, et je ne trouve aucun indice. Sur mon plan j'écris : «Il n'y a pas de trésor dans le salon.»

Maintenant nous passons aux choses sérieuses : la chambre. J'inspecte le matelas petit bout par petit bout. Rien! Nous vidons chaque tiroir de chaque meuble pour trier le linge. Aucune trace de trésor!

Soudain, en vidant la garde-robe, j'aperçois au fond une petite boîte en carton. Mon cœur cogne! Je me précipite dessus, mais Madame Lumbago est plus rapide que moi. Elle s'empare de la boîte en disant:

— Ha! Elle est là, celle-là!

Elle l'ouvre d'un coup sec, et qu'est-ce qu'il y a dedans? Rien que des vieilles affaires comme des peignes, des petites statues de la Sainte Vierge, des cierges, quelques bobines de fil... Je m'en fous, moi!

Après avoir inspecté la chambre au grand complet dans ses moindres détails, je peux écrire sur mon plan: «Il n'y a pas de trésor dans la chambre de Madame Lumbago.»

Pendant une semaine com-
plète, tous les soirs et toute une

fin de semaine, nous faisons
ainsi le tour de la maison,
meuble par meuble, garde-robe
par garde-robe, placard par
placard, chambre par chambre
et tout partout jusque dans les
plus petits recoins de la cuisine.
À la fin, j'écris en grosses lettres
sur mon plan : «Il n'y a pas de
trésor dans l'appartement de
Madame Lumbago. »

Je suis à la fois déçue et contente. Déçue de ne pas trouver
le trésor. Contente parce que

l'étau se resserre autour de la chambre secrète.

Je vais m'asseoir sur la galerie d'en arrière pour réfléchir un peu.

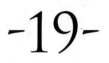

-19-

Le cabanon

J e regarde autour de moi sur la galerie et il me vient une idée extraordinaire! Pourquoi n'y ai-je pas pensé avant? J'ai fouillé partout dans la maison, mais je ne suis jamais entrée dans le cabanon dehors sur la galerie. YAHOU!!!

Alors, mine de rien, je vais voir Madame Lumbago qui se repose étendue sur son lit, et je lui dis gentiment :

— Chère grand-maman Lumbago, il faudrait faire le ménage du cabanon parce qu'il est tout à l'envers.

Évidemment elle me répond

qu'elle est très fatiguée et patati et patata! Des excuses et encore des excuses! Très bien, j'ai compris, alors je le ferai toute seule le ménage du cabanon. J'en aurai le cœur net parce que je suis rendue au bout de ma patience et de ma limite et de mon rouleau et je n'en peux plus, un point c'est tout!

En l'espace d'un après-midi, je vide le cabanon au grand complet. Je fouille dans toutes les boîtes, dans tous les sacs remplis de traîneries et je ne vois rien qui ressemble à un trésor.

J'inspecte le plancher, les murs, le plafond et je ne découvre aucune porte secrète, ni aucune cachette possible et je deviens comme folle, comme enragée. Je perds le contrôle de mes gestes. Je ne suis plus capable de me retenir. J'entre en courant chez Madame Lumbago. La porte claque si fort que les murs en tremblent. *CLING! CLING!* Je donne des coups de pied aux pattes de la table de la cuisine. *CLING!* Je fais tomber des chaises. *CLING!* Madame Lumbago arrive en courant :

— Qu'est-ce qui se passe? Mon Dieu, qu'est-ce qui se passe?

— Ce qui se passe? Je vais vous le dire ce qui se passe! J'ai fouillé tout l'appartement et le cabanon et je n'ai trouvé aucun trésor, donc il ne peut être que

dans la petite pièce qui cache le chauffe-eau. Alors je veux y entrer immédiatement, tout de suite! Sinon je fais la grève de la faim! Je n'étudierai plus et je ne serai plus jamais gentille de toute ma vie!!! Est-ce que c'est clair? Bon!!!

La pièce secrète

À ma grande surprise, Madame Lumbago me fixe sans dire un mot. Elle ouvre un tiroir de la cuisine, sort un marteau et un tournevis. Elle enlève les cadres sur la fausse porte et commence à dévisser les vis qui la fixaient.

Moi, je reste figée sur place. Je la regarde ouvrir le mur et je n'en crois pas mes yeux.

Toujours sans rien dire, elle pousse de côté le panneau de plâtre et va s'asseoir sur une chaise dans la cuisine. Devant moi il y a un grand trou noir. J'ai peur. Je ne sais plus quoi faire.

Mon cœur cogne jusque dans mes pieds.

Comme dans un film, j'avance au ralenti et m'approche lentement de l'ouverture. Une odeur de vieille poussière et d'humidité me monte au nez. Je regarde à l'intérieur de la pièce. Au début, je ne vois rien dans l'obscurité puis lentement mes yeux s'habituent. Je distingue des ombres.

J'attends quelques minutes. J'entrevois un vieux chauffe-eau, quelques tuyaux rouillés par terre et le plancher est vide, vide, vide. Aucun fil d'araignée et aucun trésor! AUCUN TRÉSOR!!!

C'est comme si je recevais un coup de masse en plein front. Je reste figée comme une statue. Je ne comprends plus rien. Je suis toute mêlée. Des lumières s'allument et s'éteignent dans ma tête qui veut exploser. Mon corps ne sait plus quoi faire : va-t-il hurler, pleurer, se mettre à courir, tout briser?

Je tremble de partout. Je claque des dents. J'ai chaud et froid en même temps. Comme une somnambule, je vais rejoindre Madame Lumbago dans la cuisine. Elle me donne un verre de lait que je laisse sur la table.

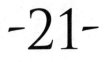

-21-

Cling cling

J e reste assise sans bouger, du brouillard dans la tête. J'entends tout à coup Madame Lumbago qui se penche vers moi et qui dit :

— Oui il y a un trésor dans la maison, tu peux le voir dans la salle de bain, au-dessus du lavabo!

Je me précipite dans la salle de bain, je monte sur le comptoir du lavabo et je me regarde dans le miroir en pensant que le trésor est caché derrière. Puis je vois apparaître Madame Lumbago :

— Le trésor dans la maison, c'est toi, ma petite Noémie

d'amour, inutile de le chercher ailleurs.

Moi, je ne sais pas comment réagir. Je suis tout étourdie. Je tremble. Je ris et je pleure en même temps.

Madame Lumbago me serre dans ses bras et me transporte hors de la salle de bain, et là, il se passe la chose la plus extraordinaire de toute ma vie. En allant vers la cuisine, elle m'embrasse et me dit :

— Ho là là! que tu es devenue lourde!

Alors je me laisse glisser des bras de Madame Lumbago et je perds l'équilibre. En tombant, je donne un coup de coude sur le mur du passage et j'entends *cling cling* de l'autre côté. Je colle mon oreille sur le mur. Je donne un autre coup de coude et j'entends encore *cling cling*. Je frappe un super gros coup de pied et il n'y a plus aucun doute possible. Il y a quelque chose de caché dans ce mur.

Madame Lumbago se penche vers moi :

— Mais calme-toi, ma petite, calme-toi, il n'y a rien dans ce mur, le bruit que tu entends, ce sont les cadres qui vibrent quand tu donnes des coups.

Je crie :

— CE N'EST PAS VRAI!!!

Je donne un coup de pied si fort sur le mur qu'un cadre se décroche et tombe par terre et là je n'en crois pas mes yeux!

Cachée derrière le cadre, il y a une fente dans le mur, une fente qui a été découpée dans le plâtre. Ça y est, je comprends tout!

Avant même que Madame Lumbago réagisse, je prends la première chose que je vois, une fourchette. Je monte sur une chaise et j'introduis la fourchette dans la fente. Elle tombe de l'autre côté du mur et atterrit sur quelque chose de métallique. *CLING!* Je frappe avec le pied tout le long du mur du passage et partout j'entends *CLING! CLING!* Il y a quelque chose, je ne sais pas, de l'or ou de l'argent caché partout à l'intérieur du mur.

Je soulève d'autres cadres et plusieurs cachent une petite fente découpée dans le plâtre. Le mur du passage ressemble à une grosse tirelire avec plein de fentes pour y déposer un trésor! C'est le plus beau jour de ma vie!

Je saute de joie et je danse autour de Madame Lumbago, qui me regarde avec ses petits yeux et qui ne sait rien faire d'autre que de nettoyer ses lunettes.

Et là, après tous ces longs mois d'attente et toutes ces émotions, je fais un geste incroyable, un geste qui est plus fort que moi et que je ne peux pas contrôler! Avant même que Madame Lumbago ait le temps de réagir, je m'empare du tournevis et je le plante dans le bas du mur en cognant dessus avec le marteau.

Après quelques coups, le plâtre s'ouvre sous la pression et comme du sable qui coule, des milliers et des milliers de pièces de monnaie tombent par terre en roulant tout partout!

Bientôt, presque tout le plancher en est recouvert. Madame Lumbago, appuyée contre le mur, les deux mains sur les joues, regarde tout ça et murmure :

— Lorsque mon Émile est rentré de la guerre, il ne croyait

plus à rien et n'avait plus confiance en personne. Au début de chaque mois, il recevait une pension d'ancien combattant. Il se rendait à la banque et revenait avec des sacs pleins de monnaie, jamais d'argent en papier parce que le papier peut pourrir ou brûler... Chaque mois depuis la guerre, il dépose une partie de son argent dans les murs de la maison et je crois bien qu'ils sont tous remplis à craquer...

Je suis trop énervée pour comprendre ce qu'elle dit!

Je crie :

— J'ai trouvé le trésor! J'ai trouvé le trésor pour vrai! C'est le plus beau jour de toute ma vie!

Je plonge mes mains dans la montagne de pièces de monnaie. Je les lance dans les airs! Je ris comme une folle puis je danse, saute et virevolte dans le corridor en pensant à toutes les télévisions et à toutes les planètes que l'on va s'acheter!

QUÉBEC/AMÉRIQUE JEUNESSE

COLLECTION
BILBO

COLLECTION
GULLIVER

Noël, Mireille
  **Série Les Aventures de Simon
  et Samuel Basset**
  UN FANTÔME POUR L'EMPRESS #57
Pigeon, Pierre
  L'ORDINATEUR ÉGARÉ #7
  LE GRAND TÉNÉBREUX #9
Sarfati, Sonia
  SAUVETAGES #25
Vonarburg, Élisabeth
  LES CONTES DE LA CHATTE ROUGE #45

COLLECTION
TITAN

Arsenault, Madeleine
  COMME LA FLEUR DU NÉNUPHAR #28
Cantin, Reynald
  LA LECTURE DU DIABLE #24
  Série Ève
  J'AI BESOIN DE PERSONNE #6
  LE SECRET D'ÈVE #13
  LE CHOIX D'ÈVE #14
Côté, Denis
  NOCTURNES POUR JESSIE #5
Daveluy, Paule
  Série Sylvette
  SYLVETTE ET LES ADULTES #15
  SYLVETTE SOUS LA TENTE BLEUE #21
Demers, Dominique
  Série Marie-Lune
  LES GRANDS SAPINS NE MEURENT PAS #17
  ILS DANSENT DANS LA TEMPÊTE #22
Grosbois (de), Paul
  VOL DE RÊVES #7

COLLECTION
C L *i* P

CONTES
POUR TOUS

C'EST PAS PARCE QU'ON EST PETIT
    QU'ON PEUT PAS ÊTRE GRAND #5
DANGER PLEINE LUNE #14
FIERRO... L'ÉTÉ DES SECRETS #8
LA CHAMPIONNE #12
LA GRENOUILLE ET LA BALEINE #6
LE JEUNE MAGICIEN #4

Patenaude, Danyèle et Cantin, Roger
    LA GUERRE DES TUQUES #1
Renaud, Bernadette
    BACH ET BOTTINE #3
Rubbo, Michael
    LES AVENTURIERS DU TIMBRE PERDU #7
    OPÉRATION BEURRE DE PINOTTES #2
    VINCENT ET MOI #11
    LE RETOUR DES AVENTURIERS DU
        TIMBRE PERDU #15

COLLECTION
KID/QUID?
Dirigée par Christiane Duchesne
Duchesne, Christiane et Marois, Carmen
    CYRUS, L'ENCYCLOPÉDIE QUI
        RACONTE, tomes 1 à 4

La Série Anne
(NOUVELLE ÉDITION EN FORMAT DE POCHE)
Montgomery, Lucy Maud
    ANNE... LA MAISON AUX PIGNONS VERTS
    ANNE D'AVONLEA
    ANNE QUITTE SON ÎLE
    ANNE AU DOMAINE DES PEUPLIERS
    ANNE DANS SA MAISON DE RÊVE
    ANNE D'INGLESIDE

LA VALLÉE ARC-EN-CIEL
ANNE... RILLA D'INGLESIDE
CHRONIQUES D'AVONLEA 1

COLLECTION
EXPLORATIONS
Dirigée par Dominique Demers

Demers, Dominique
DU PETIT POUCET AU DERNIER DES
RAISINS
Introduction à la littérature jeunesse

Demers, Dominique
LA BIBLIOTHÈQUE DES ENFANTS
Des trésors pour les 0 à 9 ans

Guindon, Ginette
LA BIBLIOTHÈQUE DES JEUNES
Des trésors pour les 9 à 99 ans

DICTIONNAIRE
LE VISUEL JUNIOR
Archambault, Ariane et Corbeil, Jean-Claude
UNILINGUE FRANÇAIS
UNILINGUE ANGLAIS
BILINGUE

THÉÂTRE JEUNESSE
Émond, Louis
COMME UNE OMBRE #2
Pollender, Raymond
LE CADEAU D'ISAAC #1